KB003708

우리가
사랑한
계절엔

이진수 시집

봄, 사랑해서 설레었다

여름, 뜨겁도록 사랑했다

가을, 사랑해서 그리웠다

겨울, 아프니까 사랑이었다

시인의 말

우리의 사계절도 변합니다
우리의 마음은 변치 않을 거란
믿음의 간절함도 계절이 흘러
다음이 올 때면 그날을 회상하지요

그 순간은 모릅니다
그 사람의 마음이 얼마나
가슴 깊이 내리었는지
지나고 나면 그때를 그리워하지요

사랑은 늘 그렇습니다
이별 속에 아픔을 만나
새로운 사랑을 꽃피우고
새로운 계절을 만나 순간을 후회하지요

저의 사랑도 긴 아픔이 지나
진심으로 사랑을 느껴봅니다.

봄,
사랑해서
설레었다

우리가 처음 만난 날

단풍잎이 물들고 북적이던 그곳에 너와 내가 있었지
숙덕숙덕 귓가를 울리는 소란 속에 오가는 곁눈질 속
그날의 우리가 호감 속에 물들어 버렸구나

오르고 내리며 마주치던 계단은 너와 가까이 마주할 유일한 공간
어설프고 무뚝뚝했던 나를 꺼내준 장난기 가득한 미소는
그날의 우리가 좋아하는 감정으로 물들어 버렸구나

모든 것을 내던지고 작별했던 그곳은 너를 볼 이유가 되었고
길가에 흩날리는 벚꽃 속의 또 하나의 꽃잎이 안겨주었고
그날의 우리가 사랑이란 단어에 물들어 버렸구나.

나에겐 그런 사람

보고만 있어도 행복한 사람
보고만 있어도 웃음 주는 사람
보고만 있어도 배부른 사람
보고만 있어도 빛이 나는 사람
보고 또 봐도 한결같은 사람
나에겐 그런 사람이 너였다.

맞춰 걷던 우리 둘

까만 옷을 좋아하고
검은색을 좋아하고
단것보단 매운 걸 좋아하고
파스타보단 국밥을 좋아하는
나인 걸

밝은 옷을 좋아하고
분홍색을 좋아하고
매운 것보단 단 걸 좋아하고
국밥보단 파스타를 좋아하는
너인 걸

맞는 것이 하나 없는 우리
누가 봐도 이상한 것 없는 우리
헤어져도 당연할 것 같은 우리
맞는 것이 없어 투덕대던 우리

지나고 보니 맞는 것이 없어
맞춰 가던 우리가 지금 이렇게
행복하게 웃고 있는 것이 아닐까.

3초의 눈 맞춤 3초의 설렘

나는 그래

아무렇지 않은척
아무 일도 없는척
신경 쓰지 않는척
찢긴 눈 사이로
담아보는 너의 얼굴

너는 그래

아무렇지, 않은척해도
아무 일도 없는척해도
신경 쓰지 않는척해도
입가에 번지는 미소만으로
담아보는 너의 얼굴

찢긴 눈 사이로 말고
입가에 번진 미소처럼
척하지 말고 웃는 얼굴
내게 좀 보여주겠니.

봄이 왔나 봄

지나가는 햇살을 보며 봄이 오길 기다립니다
추위에 약한 당신 마음에 봄이 오길 기다립니다
세차게 얼어붙은 의림지도 녹을 때면 봄이 오나 봅니다

겨울잠 자던 개구리도 경칩이 올 때면
우리에게도 봄이 오나 봅니다
돋아나는 새싹과 새벽녘 바삐 움직이는
농부님들 볼 때면 봄이 왔나 봅니다

움츠려 지내던 겨울이 지나
만물이 약동하여 봄이 왔습니다.

나는 네게 물들었구나

눈이 녹아 흐를 때면 하늘 속에 봄이 내린다
흔들바람 속 풀 냄새가 진동할 때면 봄이 온다
눈 앞을 가리는 벚꽃잎이 세상을 덮을 때면
내 마음속에도 봄이 가득하다

봄아, 네가 내게 와서 행복하듯 다른 이의
마음에도 봄이 가득하여 행복하면 좋겠다
봄이 남겨준 메모장의 봄을 그리며
온 마음이 너로 가득해지는구나

봄꽃 물든 우리 마음처럼
나도, 너도 봄꽃 가득 물들어 가자꾸나.

널 보고 있는 나의 마음

매년 봄이 그랬지
설렘 가득 안고
벅찬 가슴으로 물든
매년 봄꽃이 그랬지

저 먼 길 돌고 돌아오는
메아리처럼 언제나 봄은
부푼 가슴으로 가득했지

봄으로 가득 메운 봄 길이
인사하며 스쳐 지나도
때가 지나 다시 만나니
요동치는 내 가슴 어찌할까.

오늘은 말할래

한 번도 하지 못한 말
소중했기에 멀어지지 않기 위해
참고, 아끼며 하지 못했던 말
오늘은 말해요

보일랑 말랑 걸친 마음
어쩌면 오늘이 아니면 하지 못할
숨기고 숨겨왔든 하지 못했든 말
오늘은 말할게

조여오는 시곗바늘 소리
지금일까, 속으로 세어보는 초시계
쓰고, 지우며 완성한 한 통의 편지
오늘은 말할래

오늘, 나는.

사랑은 그렇다

사랑은 스치는 인연이었고
우연인 척 다가온 필연이였다

바라보던 눈빛과 마주하던 눈인사
묵언의 감정이자 마음이었다

스치고서 잊혀야 할 인연
눈에 담긴 잔상과 몸에 밴 향긋한 향수
우연인지, 운명인지 인연의 장난

그날의 잔상이 남겨둔 기억은
필연을 증명하듯 일렁이는 마음 담아
지금의 내 옆에 다가왔다

사랑은 그렇다
스치는 인연 속 우연이 마주하고
우연이 마주하여 운명이 되어
우리는 필연 속 사랑이 되었다

사랑은 그렇다.

향기에 취하고

어깨선의 내려앉은 꿀벌 한 마리
봄 향기 가득 물고 내뿜는구나
뾰족 꿀 침 너머로 봄 향기 들어오니
비틀비틀 봄 향기에 취해본다

저녁노을 비틀대는 당신도
허리쯤 찰랑이는 가방도
봄 향기에 취한 걸까
이리저리 움직이는 취한 당신

봄 향기 가득 머금은 나무도
봄 향기 가득 펄럭이는 나비도
봄 향기 가득 나르는 꿀벌도
온 동네 봄 향기에 취하니

웃음소리 가득하구나.

썸에서 사랑까지

너를 바라봤던 관심은 호감이 되었고

너를 느꼈던 호감은 감정을 만들며

너와 나눴던 감정은 인연이란 단어 속에

나를 담아내었다

너와 내가 담긴 인연 속에 사랑이 생기며

사랑이란 마음속 안에 너와 나를 사진에 담아본다.

너만 보면 웃음이나

어느 날 마주친 만개한 유채꽃
녹슬어 본색을 잃은 지붕
악취가 득 물든 담벼락
냉기가 득 풍기는 으스한 골목
그곳 밝게 비춘 노란 물결

혼자였다면 묻혔을 너지만
세상 가장 아름답게 만개하니
온 세상이 너의 미소로 가득하구나
산들바람에 업혀 두둥실 춤을 추는
너를 보고 있으니 나 또한 환한 미소 가득하다

가슴속 이룰 수 없는 꿈을 지닌
모든 이에게 같은 소망을 심어주는
너처럼 나의 소망 담아본다

피우지 못한 간절함 노랗게 물들길.

당신의 품은 따뜻하네요

당신의 품은 여전히 포근하네요

부드럽게 안아주던

몸이 으스러지게 안아주던

당신의 진심을 전하는 심장박동수

오늘 당신의 품은 너무나 따뜻했습니다

당신의 온기, 당신의 손끝

조용히 품에 안기어 당신의

마음을 듣습니다

오늘도 잘했고

오늘도 고생했고

오늘도 무사히 마무리한

당신의 하루를 느낄 수 있어

너무나 따스했습니다

우리의 내일도, 우리의 오늘도

지금의 온기처럼 따뜻하길

서로를 안아줘요.

잘 보이고 싶은 욕심

빈틈 하나 보기 싫은 강박증
빼곡히 채워가는 수많은 말들
하나씩 덧대어 가는 색칠 공부
말하고 싶은 것이 무엇인지
보이고 싶은 것이 무엇인지
방황하는 나의 눈동자여

채워도 채우고 싶은 나의 욕심
여백이 주는 아름다움을
나는 미처 보지 못하였구나
말하고 싶은 것을
보이고 싶은 것을
채워주는 여백의 아름다움

나는 미처 몰랐구나.

사랑하면 닮아가나 봐

나 닮은 가을
너 닮은 봄
우리 닮은 겨울
담지 못한 여름

나 닮은 11월
너 닮은 4월
우리 닮은 12월
담아 가는 7월

일 년이 지나도 채우지 못한 계절
일 년이 지나도 변하지 않는 열두 달
일 년이 지나도 우린 닮아있네.

운명처럼

우연히 사진을 보다
어렸을 적 우리를 보았어
꺼내든 사진 속 마치 우연인 듯
같은 곳에서 한곳을 바라보던 너와 나

우리는 우연이 아닌 인연이었을까
인연이 아닌 필연이었을까
진심으로 사랑했다면
진심으로 이별했다면

우린 다시 사랑할 수 있을까?
우린 다시 만날 수 있을까?
운명처럼 다가온 그때의 우리
또 한 번의 운명처럼 함께했던 우리

다시 한번 운명처럼 사랑할 수 있을까.

여름,
뜨겁도록
사랑했다

혼잣말이 늘었네

오늘도 심심한 넋두리를 해본다
단정히 빗겨진 머리
말끔히 밀려 나간 턱수염
오늘의 기분과 딱 맞춘 옷

누구 하나 보지도 듣지도 아니하는
시선 속에서 오로지 나 자신을 보기 위해
나의 두 눈을 동그랗게 떠본다

긴 밤이 지고서 거울과 마주하니
바람에 흩날린 머리
앞잡이처럼 듬성듬성 난 턱수염
오늘의 하루를 말해주는 옷

치열했던 건지, 멍청했던 건지
오늘도 심심한 넋두리를 해본다

혼잣말.

진실의 방

매일 물어봅니다
오늘은 진심이었는지
오늘은 솔직했는지
오늘은 나답게 보냈는지
손톱만 한 거짓도 용납 못하는
마음속 진실의 방

오늘도 불려갑니다
애써 숨기려 했던 감정
애써 묵인했던 침묵
애써 이해하려 했던 나 자신
좁쌀만 한 거짓도 알아채는
마음속 진실의 방

진실을 물어요
당신의 오늘은 진실한 하루였나요.

너와 꿈꾸던 관계

사소한 것에 감사하고
작은 것에 감사하며
차곡히 쌓아 올린 블록처럼
행복이란 단어 속에 감사하다

웃을 수 있어 행복하고
마음을 표현할 수 있어 행복하며
같이 나눌 수 있어 행복하다

큰 행복을 바란 것이 아니라
작은 행복이 모여 우리가 함께함에 있어
큰 행복이 되어간다

당신의 행복은 안녕하신가.

멈추지 않던 눈물

때아닌 비가 내릴 때면
가슴이 촉촉해진다
문밖을 나서며 신발 위에
포개어지는 빗방울

우산 위로 두드리는 빗소리
흐르고 흘러 길 없는 모퉁이
고여앉은 물웅덩이가
가슴을 적셔온다

조용한 골목 가득히
울려 퍼지는 빗소리도
맑은 가슴을 울려 흘려보낸다.

그건 권태기였지

바람 불어 흔들리는 갈대도
활활 타버려 녹아내린 촛불도
목이 말라 야위어진 나무도
지나고 나면 돌아오듯이

너의 마음도 지나고 나면
다시금 살아 움직이겠지
잊지 마, 너무 지쳐 잠든 마음이
깊은 잠 깨고 오기까지 기다리면 돼.

부모의 마음

오늘도 바삐 울리는 알람 시계 너머,
하염없이 물어오는 그대의 걱정
사소하지만 매일 듣는 그대의 걱정이
잔소리로 여겨졌고 바쁘다는 핑계로
그대의 걱정을 지나치고
문득 바라본 밤하늘이 왜인지
그대 얼굴로 가득하여
오늘따라 유난히 그립습니다

나의 걱정 가득했던 그대여
당신의 오늘은 안녕하신지요.

반복되는 하루

오늘이 두려웠던 건 내일의 오늘이
반복되진 않을까에 대한 두려움이었고
두려움은 반복되지 않길 바랐던 내일의 오늘을
붙잡는 늪에 빠진 나 자신을 잃는 기억이였다.

생각할 시간이 필요해

멍하니 생각에 잠기곤 해
잔잔하게 틀어놓은 노래에 집중
가사에 집중하다 보면 궁금 해지곤 해

어떤 기분이었을까
어떤 느낌이었을까
나를 노랫말에 담아보곤 해

창문 비친 너는 무슨 생각 중일까
오늘은 어떤 고민을 하고 있을까
초점 없는 눈동자에 너를 담아보곤 해.

알게 뭣이더냐

지금 흐르는 이것이
눈물인지
빗물인지
콧물인지
알게 뭣이더냐
그저 흘러 없어질 물일 터니.

어느 캠핑장에서

활활 타는 장작 속에 더해본다
감성 한 순가락
감정 한 순가락
다짐 한 순가락

빠르게 타오르는 장작 속에 더해본다
지워지진 않을지 없어지진 않을지
차곡히 쌓아 올리는 장작 안에 물어본다.

더 해진 재료들은 어떤 맛이 담겨 있니?
쓴맛? 단맛?

너란 사람

가리고 가려도 너의 존재는 가려지지 않는구나
흘러가는 구름 사이 밝게 빛나는 달
엉겨 붙은 전깃줄도 관통하여
유난히도 빛나는 달빛

오늘의 나도 너처럼 유난히도
밝은 빛으로 나의 존재를 알려본다.

오늘의 하루도

아침 햇빛이 유난히 밝습니다
이불을 개고 베개를 정리하며
오늘의 하루를 이겨내러 갑니다

꼭꼭 숨어있던, 비겁한 마음도
구석진 모퉁이, 아슬한 자리도
오늘의 하루를 이겨내려 합니다

작은 바람에도 흔들대던 바람 인형
강한 바람에도 굳건했던 소나무
오늘의 하루를 이겨냈습니다.

거울 속 나의 얼굴

보고 또 봐도
어쩜 너는 한결같니

매일 보고 또 봐도
어쩜 너는 못생겼니?

이리 보고 저리 봐도
어쩜 너는 찌들었니?

누가 너를 그렸는지
어쩜 너는 물들었니?

영원할 것 같던 우리

같은 밥을 먹고 같은 옷을 입고
같은 것을 보며 같은 공간에 있다고
식구라 착각했구나

돌아서면 날카롭게 다가오는 빙결처럼
돌아서면 매정한 남처럼
돌아서면 서로의 치부를 뜯어 먹는 짐승처럼

나는 그것이 식구라 착각했구나.

다시 쓰는 나의 다짐

오늘의 일들도

오늘의 기억도

오늘의 마음도

오늘 딱 한 번만

하루 한 번만

버튼 하나의 잊히고

새롭게 시작되는 오늘이기에

오늘의 모든 것은 오늘로 기억되길.

신입과 경력

경험 많이 쌓으라던 이는 어디 있나
경험 많이 쌓을 곳은 어디 있나
경험 찾다 체험만 하는구나

경험은 경력이 되고 체험은 취미가 되네
경험은 올레길이, 체험은 둘레길이 되네
한 끗으로 결정 나는 불편한 진실
누구의 소꿉장난이요.

나만 변한 것이 아니라

사람은 늘 같은 것을 말하며
사람은 늘 같은 실수를 하고
사람은 늘 바뀐 나를 꿈꾸고
사람은 늘 합리화하곤 하죠

우리는 늘 같은 것을 보았고
우리는 늘 같은 것을 말하며
우리는 늘 같은 꿈을 꾸었고
우리는 늘 이기적이곤 하죠.

이것이 인생 순리

힘듦은 버팀과 같고
버팀은 시간과 같으며
시간은 무뎌짐과 같다

이것이 우리의 인생 순리이며
해답 없이는 반복된 순리 속에 살아간다.

세상에서 제일 위험한 말

한 번만 딱 한 번만 넘어가면

눈 딱 한 번만 감으면 넘어가겠지

부메랑이 되어 더 크게 돌아오는 것도 모른 채

지금 찰나의 순간만을 바라보는 안일함

그것이 오늘도, 그리고 또 오늘도 외치며 넘어가겠지

반복되어 올라갈 수 없는 무능함을 만드는 것도 모른 채

그저 지금의 순간만을 바라보는 헛된 착각.

위로하는 별님

흰자 없이 까마득한 눈동자
영롱하게 비쳐오는 조명 속에
오랜만에 나의 눈동자에도
흰자와 밝은 두 눈을 마주하는구나

따스한 아침햇살 저물고
차디찬 밤공기 가득하니
저벅저벅 내딛는 발걸음 소리 가득하구나

어인일인지 까마득한 밤하늘
들숨, 날숨 내뱉으니
저 끝너머 다가오는 별 하나는
마치 나를 위로하듯
한참을 밝혀주네.

가을,
사랑해서
그리웠다

끝내 흐르지 못한 한 방울

아홉 번의 눈물
아홉 번의 눈방울
차마 흘리지 못한 한 방울

팔자주름 사이로 내린
눈물이 나를 적시곤 해
붙잡지 못한 아홉 번의 눈물
끝내 흐르지 못한 한 방울

오늘은 그만 멈출래
흐르는 아홉 번의 눈방울은
네가 내게 흘린 눈물이고
입술 물고 참아 냈던 한 방울
내가 네게 보내지 못한
진심 속 눈물이야

흐르지 않을 거야
흘리지 않을 거야
아픈 마음 참고 돌아선 너에게
짐이 될까 흐르지 못한 한 방울.

이별의 후유증

잠든 새벽 나의 꿈속에 찾아온 너
너와 나눈 이야기 너와 함께한 시간
잠에서 깨면 사라질까 두려워
두 눈 질끈 감아본다

꿈에선 깬 지난밤의 추억
어렴풋이 떠오르는 꿈 이야기
무슨 말을 했을까, 우린 함께였을까
오늘이 가면 잊힐까 두려워
사라지는 기억 잡아본다

나는 그렇게 오늘의 하루를 시작해
오늘 밤이 오면 꿈속에 너를 보겠지
나를 보며 웃는 너, 우리 잡은 두 손
잊지 않았을까 두려워
밤이 저물고 찾아올 너를 기다려

우리는 다시 만났을까
지난밤의 모습은 어땠을까
웃었는지, 울었는지 기억이 안 날까 봐 두려워
매일 똑같은 하루가 지나가.

나는 말합니다

사람들은 내게 말해요
버티는 사람이 이긴 거라고

사람들은 내게 말합니다
힘들더라도 버티면 된다고

사람들은 말합니다
버티면 언젠가는 해결되어 좋은 일이 올 거라고

나는 말합니다
가장 힘든 건 기약 없는 지침을 이어 나가는 거라고

해결될 버팀이 아닌 기약 없는 지침은
시간이 지날수록 힘들다는 것을
모두가 느낀다는 것을

우리는 말합니다.

내가 듣고 싶은 말은

미안해

"난 그런 뜻이 아니었어."

미안해

"진심이 아니었어."

미안해

"내가 다 미안해."

뭐가 그리 미안하니

네가 내뱉는 말끝에

수식어처럼 붙는 세글자

해줄 말이 없는 걸까

하고 싶은 말이 없는 걸까

나에게 관심이 없는 걸까

내가 듣고 싶은 말은

단 세글자

사랑해, 고마워.

이유를 말해줄래

설명이 아니라, 이유가 필요했어
말리지 못한 나의 마음을
허락되지 않은 나의 감정을
드러내기 위한 이유가 필요했어

허락된 시간이 아니라
받아들일 시간이 필요해
허락하지 않은 너의 감정을
받아들일 이유가 필요했어

말리지 않아 너의 마음
말릴 수 없어 나의 마음
그저 나에게는 이유가 필요했어

변하지 않는 너의 마음
변하지 않을 나의 마음
이유를 말해줄래.

굳게 닫은 마음

혼자 먹는 밥도

혼자 보는 드라마도

혼자 즐기는 운동도

혼자 마시는 술도

혼자가 편해졌어

남들 시선은 신경 쓰지 않아

공감을 나누고 싶지 않아

같이 부대끼고 싶지 않아

오가는 빈말도 듣고 싶지 않아

그냥, 혼자가 익숙해진 게 아닐까.

마음의 공복

쌓여 있던 것들이 소화될 때면
온몸을 울리는 공복의 종소리가 들려온다

당장 욱여넣어 종소리를 잠재워야 할거처럼
공복은 배고픔의 공복만 존재하는 줄 알았다

쌓여 있던 감정이 표출되어 사라질 때면
온몸을 휘감는 마음의 공복이 찾아온다

채워도 채워도 채워지지 않는 이유 모를
마음의 공복은 마치 자신의 존재를 알리듯이

오래도록 가슴 한편에 머무른다.

나를 좀 위로해줘

빨갛게 물든 하늘을 바라볼 때면
오늘도 나의 눈은 아쉬움이 가득한 채
눈을 감지 못한다

그날의 감정도 그날의 생각도 그날의 계획도
나의 마음을 충족하지 못한 자신의 알람이
오늘이 아쉬워 마침표를 찍지 못한 채
감기는 눈을 부여잡게 만든다

마음을 달래줄 나의 위로는
오늘도 긴 밤이 지나고
밝게 비추어 오는 햇살만이
오늘의 마침표를 찍어줄 마음의 위로가 되었다.

그날의 기억들

눈을 감고 꺼내어 본다
아쉬워 뒤척이던 나도
괴로워 뒤척이던 나도

생각 속 일기장에 그려가며
한 장 한 장 완성품을 이어간다
완성품은 새로운 작품이 되어
내 곁을 떠나 자리 잡는구나

새로이 등장하는 너는
너의 존재를 확실히 알리며 눈도장 찍고
원치 않는 불청객처럼 자리 잡아
나의 곳곳을 휘젓는구나

그런 너를 나는 꺼내기 위한
마침표를 찍고 그런 너는 나의
꼭꼭 숨겨둔 비밀의 통로까지 물들어
긴 밤을 적셔준다.

어른 흉내

나는 서른이 되었지
끝난 줄만 알았던 감정도
이루어야 했던 부담감도
새롭게 그려가야 할 불안감도
모두 다 거짓이었지

모든 것이 삐뚤삐뚤 보였지
색안경 속 보이는 다양한 세상 속
나는 다 큰 줄 알았던 철부지였지

되감기는 비디오테이프 안에는
서른을 바라보며 채워 넣은
작은 기억이 자리했지

무엇을 위해 채워졌는지
흐릿해져 가는 기억 속을 헤집고서야
청춘을 갈망했던 어른이 되고 싶은
미련 속 작은 아이였지.

그런 건가 봐

사랑은 그런 건가 봐
채워도 채워지지 않는
그저 내 욕심만 가득 채운
아픔인가 봐

봄을 타나 봐
그렇게 기다린 봄이 왔는데
시리고 아픈 겨울이 그리운 걸 보니
나도, 많이 성숙해졌나 봐

그런 건가 봐.

사랑이었을까

마음이 아파서 사랑일까?
마음이 다친 건 사랑일까?
마음이 지쳐서 사랑일까?

바짝 마른 된소리는 사랑이었을까
흰옷에 묻은 자국처럼
찝찝하고 거슬렸던 너의 말은
사랑이었을까.

그때를

빈 병 가득히 물을 채워 넣어요
아름다운 꽃 한 송이 담아
더욱 빛나는 물병을 만들어요
무럭무럭 자라 아름다움 가득하고
빛을 잃지 않길 두 손 모아 빌어요

과한 마음은 아름다움 시들게 하고
흘러넘친 나의 욕심은 빛을 잃고
고개 숙인 꽃 한 송이를 마주하네요

나에게 던진 신호도
나에게 표현한 마음도
나는 듣지도 보지도 못하였나 봅니다

애타게 불렀을 꽃 한 송이
나를 원망하며 외쳤을 목소리
지나고서야 알게 되었네요

한 번만 귀 기울였다면,
한 번만 보았더라면,

오래도록 나의 곁에 머무를 텐데
나는 놓치고 말았네요

그때를.

현실과 마주한 나

거대했던 원형은 깎이고 깎여 세모가 되었고
깎여버린 세모는 조각이 되어 네모가 되었구나
열렬했던 나의 꿈은 시간이 지나 순응하는
현실이 되어 마주하는 현실 속에 찬란했던
그날을 되새기는구나.

성공해서 돌아올게요

흔들던 손 인사 속 뒤편에는 걱정이 가득했고
웃으며 이야기했던 마음속에는 응원과 격려가 가득했고
뒷모습 배웅하던 뒤편에는 뭔지 모를 울림이 가득했다

떠나오는 도로 위에는 복잡 미묘한 감정이 가득했고
다가오는 목적지에는 설렘과 걱정이 가득했고
새로이 출발하는 출발선에는 큰 기대감과 울림이 가득했다.

추억

부딪히는 잔 속에 오늘의 일들이 담기고
같이 맞잡았던 젓가락질 속에 오늘의 이야기가 담기며
오가는 눈 맞춤 속에 오늘의 감정이 담긴다.

너를 보내고 흘린 눈물

툴툴대던 입이 오늘은 미워지고
여닫아 버리던 귀는 원망이 되며
감정을 표현했던 나의 행동은 내게 돌아왔구나

뒤돌아 후회하며 울먹였던 바닥과 천장 사이의 나
고여있던 눈물이 말라버리고 마주하는 똑같은 나는
사라져가는 그림들을 바라보며
기억 속에, 마음속에 담아두고 꺼내 보겠지

오지 않았던 믿고 싶지 않았던 우리에겐
너무나 가혹했던, 너무나 아팠던, 너무나 미안했던
지금에서야 말라버린 눈물 속에 인사하지.

우리 헤어졌구나

설렘이 가득했고 설렘이 지속될 줄 알았지
사소한 것에도 온 신경이 집중되고
눈을 뜨고 감을 때까지 온통 너로 가득했다

일상에 스며든 너와 나는 서로의 미래를 말하며
여전히 가슴 뜨거운 하루를 함께했고
사랑이라는 단어 속에 함께하리라 다짐했지

설렘은 무뎌졌고 설렘은 사라졌다
사소한 것이 크게 느껴지고 바뀌는
너를 보며 나는 아파했지

눈을 뜨고 감을 때면 똑같은 일상 속
지루해할 나 자신으로 가득했고
일상에 스며든 너와 나는 줄어드는 만남과 대화 속
한숨 섞인 말투와 행동으로 아픔을 나눴고
영원할 거 같던 사랑은 끝내 이별이 되었구나.

헤어지자

가만히 보았다
가만히 들었다
가만히 울었다

조용히 보았고
조용히 들었고
조용히 울었다

너와 내가 할 수 있는 그 자리에서
우린 조용히, 가만히 울었다.

품지 못한 마음

품으려 한다고 품어질 품이었다면
풍선처럼 가득해졌을 마음이
공기 한 모금 품지 못하였구나.

너만 생각하면 눈물이 나

너의 눈은 마치 출렁이는 바다와 같구나

바람을 타고 강하게 요동치기도

비와 함께 넘치고 흐르기도

말라버린 갯벌처럼 굳어가기도

너의 눈은 멈추지 않는 강물과 같구나.

지워지지 않는 빈자리

배어 버린 냄새는 뿌려도 흔적을 남기고
배어 버린 습관은 잘라도 끊어지지 않고
배어 버린 기억은 지운다고 지워지지 않는다

물들어 버린 잉크처럼
묻어 버린 자국처럼
달라붙은 자석처럼

질긴 악연인지 인연인지
이어지는 고리 속에 반복되어 가는구나.

이젠 보낼게

우리 모두 인사해요
사계절이 돌아오는 길 위에서
우리 모두 인사해요

포근했던, 봄도
뜨거웠던, 여름도
쓸쓸했던, 가을도
얼어붙던, 겨울도

지나가고 다시 오면
우리 모두 반갑게 인사해요
지나버린 기억은
모두 계절에 담아 보내고

다시 오는 계절 속에
우리 모두 새로이 그려보아요
과거도, 추억도 모두 잊고
우리 모두 인사해요

마지막 커피 한잔

입은 웃고 있는데 눈은 울고 있다
행복하리라 다짐했고 행복해라 전했다
먼발치 뒷모습 보며 인사하는 내게
너는 환하디환한 밝은 미소 건네며
멀어져갔다

달콤했고, 달달 한 꿀로 가득했던
더 이상 볼 수도 맛볼 수도 없는
네가 내게 준 커피 한잔.

행복한 날이 없었네

흐린 날이 많았습니다
안개로 자욱했고 먹구름으로 가득했지요
매일 쏟아지는 비는 넘쳐흘러 홍수가 되었고
차곡히 쌓아 올린 성벽은 무너지기 일쑤였지요

흐린 날을 잊고지내려 합니다
모든 것이 불안정한 저의 초기공사가
잘못되었음을 받아들이려 합니다

애써 기억을 끄집어내었던 흐린 날도
결국엔 흘러가고 언제 그랬냐는 듯
맑은 날이 올 테니까요.

참, 아프다

익숙해질 법도 한데 아프다
나아질 법도 한데 아프다
그냥 아프다

뾰족함이 맘을 먹은 듯이
몸 구석구석을 헤집고 다니듯이
분명 따끔이었는데 아프다

크지도 작지도 않은 가는 것이
치유를 해주기도 달래주기도
마치 어린아이처럼 만든다
참 아프다.

왜인지 네가 생각나

햇빛 머금은 회색빛 구름이 가고
파란 구름 가득하니
아침 햇살 받으며 걷는 이 길도
너처럼 아름답구나.

그립고 그립다

그리움이 쌓인다는 건
기억을 간직한 채 생각 속에 담아내어
잔상을 그려가며 밀어내었던
나 자신을 쌓아가는 시간이었지.

혼자 보내는 가을

가을이 쓸쓸하고, 외롭고, 고독한 것은

설렘을 주는 봄과

뜨겁도록 열렬했던 여름

냉랭하고 차가웠던 겨울이

모두 다 담아져 있기에 그렇습니다.

난 늘 두 번째였지

왜 항상 나였을까요
그대 아픔도, 그대 슬픔도
그대의 일상 가득했던 난데
왜 항상 나일까요

그대 등 뒤로 흐르는 흰 눈이
오늘따라 무거워 보이네요
매번 묻던 나의 질문엔
침묵이었던 그대의 모습을
나는 이제 알 거 같습니다

매몰차던 그대의 모습도
쌀쌀맞던 그대의 행동도
한순간도 진심이 아니었음을
그저 우리의 현실을 받아들였다는 것을
나는 알게 되었습니다

매년 가을이면 그대와 함께했던
그날의 잔 기억이 남아 돌아다닙니다
우리 비록 멀어졌지만
남아 있는 기억만큼은 잊지 말아요.

미치도록 보고 싶다

오늘도 당신의 뒷모습은 어둡습니다
밤하늘 우러러 바라보는 서글픈 눈
오색 빛 조명 아래 축 처진 그림자
떨어질 거 같이 얼어붙은 빨간 귀

오늘도 당신의 마음은 어둡습니다
저무는 달빛 아래 우뚝 선 가로등
멀어지는 별빛 보며 삐죽대던 입
밝아오는 햇빛 속에 감기는 눈

오늘도 당신의 사무친 그리움이
밝아온 구름 속에 하나 되어
두둥실 흘러갑니다

보고 싶은, 그 사람.

놓쳐버린 손

눈 한번 감았고 딱 한 번 놓쳤다
잠깐이었고 순식간이었다
눈부시게 빛나던 하늘
정신없이 내리는 비바람
나는 오늘 길을 잃고 너를 잃었다

눈 가득 담기는 호기심 천국이었다
잠깐이었고 순식간이었다
울부짖던 눈망울
찾아 헤매던 미로 속 어둠
나는 오늘 길을 잃고 그대를 잃었다

동떨어진 너와 나
어디 있는지, 외치고 외치던 그 거리
시간을 넘어 그때의 그 순간이 오길
간절히 바라던 찢어진 마음
나는 오늘 나를 잃었고 너를 잃었다.

같이 보던 밤하늘

길을 걷다 마주친 붉은 하늘엔
나를 보며 환하게 웃어준 네가 있다
어디를 가도, 어디를 봐도
나를 따라 움직이며 웃음을 보내주는 너

우리가 고작 인사하는 시간은 퇴근길 15분
어둠이 오면 더욱 빛나게 웃는 너는
웃음이 많은 걸까, 애써 미소 짓는 걸까
너와 마주한 15분은 비록 짧지만

내게 건네준 미소는 잔잔하게
내 마음 가득히, 내 기억 속 가득히
오래오래 남아 너를 기다린다

다시 만날 우리의 15분
네게 건네지 못한 나의 미소를 머금고
우리 마주할 15분은 환하게 웃어보자꾸나.

혼자 사랑했던 걸까

알다가도 모르겠다
알아갈수록 모르겠다
알려 하면 할수록 모르겠다

너란 사람
너란 아이
너랑 관계

이해가 아닌 인정이 필요했던 건지
혼자가 아닌 둘 이여만 했던 건지
엮을 수 있는 얽힐 수 있는 단어에
담아내던 합리화가 맞던 건지
도통 나는 모르겠다

꺼내어 줄 수 있다면
꺼내어 볼 수 있다면
너의 마음, 너의 생각
꺼내어 보고 싶구나

너와 나는 어떤 관계일까.

지나고 남은 것은 계절뿐

일 년, 열두 달 바삐 지나가는 세월이여
한 살, 두 살, 늘어가는 나의 시간이여
한 움큼 빠진 정수리, 늘어나는 뱃살
날로 굳어가는 몸뚱어리

일 년, 사계절 각기 다른 감정이여
봄, 여름, 가을, 겨울, 물든 나의 시간이여
분홍 잎, 노란 잎, 빨간 잎, 하얀 잎
날로 익어가는 인생이여

나만 변한 것이 아니라
나와 함께 걸음 맞춰 걷는 계절도, 세월도
모두 같이 변해가는구나

함께하는 동반자가 있어 오늘도 아름답다.

내 편이 필요했어

가끔은 맘에 없는 거짓말이라도
“그게 맞다고” 듣고 싶어
그냥 정답을 원한 게 아니라
내 감정에 들어왔다는
그 말 한마디가 큰 위로가 되거든.

참고 참았던 감정

먹지 말고 뱉으세요

삼키지 말고 뱉으세요

욱여넣는다고 소화될 감정이었으면

속앓이를 하지 않을 테니까요

제발, 뱉으세요.

행복해질래

괜스레 애써 웃음 지어본다
두툼한 입술 꽉 깨문 채
톡 하면 터질 것만 같은 홍수
힘겹게 문 닫고 웃어본다

샘물 담은 아른거리는 얼굴
멀리 보내며 괜스레 웃어본다
이리도 따스한 햇볕 받으니
금방이라도 흘러내릴 폭우

어둑해진 그림자 드리우니
꽉 문 두툼 입술 자국 남고
고새를 못 참고 터져버린 댐은
홍수가 되어 온몸을 적셔온다

아른거리는 얼굴 떠오르니
금세 다가와 폭우 쏟아내니
어둑한 밤하늘 괜스레 멋쩍고
공감하듯 까만 조명 씌워주네

힘듦 담아 쏟아냈던 울음 가고
행복 담은 흐르는 울음 오길.

유일한 소통창구

말벗이 되어주던 달님,

독백을 빛나게 해준 별님,

풍성하게 꾸며준 구름,

그대들과 그려 나간 파란 하늘,

한 획이 이어져 멋진 작품이 되고

보는 이 없던 작품은 바람 타고

그대들의 눈에 담겨 마음을 나눈다.

쉼 없이 말하던 우리 관계

우리 그만 해요

우리 이제 끝을 내요

우리 웃으며 보내요

우리 이제 행복하기로 해요

내가 만든 관계이니

내가 먼저 끊어 낼게요

만들고, 자르고, 붙이고

반복하는 것이 관계이니

우리 그만 헤어져요

내가, 힘들어서 더는 못할 우리 사이.

무얼 위해 애를 썼을까

바늘조차 들어가지 않는 뒤엉킨 매듭
이리저리 돌려도 보고
온 힘을 다해 당겨도 보고
가위라도 되는 것, 마냥
두 엄지의 날카로운 손톱으로 잘라본다

너를 위해 애쓴 건지
나를 위해 애쓴 건지
우릴 위해 애쓴 건지

풀어도, 풀어도 단단히 엉킨 매듭
가위질 한 번이면 쉽게 풀리 매듭을
왜 이리 애쓰며 매달렸을까

단, 네 글자로 정리되는
가볍고 쉬운 관계를
나는 무얼 위해 애를 썼을까

정이었을까, 사랑이었을까.

잘 견뎌 냈는데

지나가긴 할까요
이별의 아픔
흔들리는 마음
보이지 않는 앞날
두려움 속에 사무친 감정

때가 지나면 나아질까요
봄이 주는 설렘
여름이 주는 갈증
가을이 주는 외로움
겨울이 주는 아쉬움

돌아보면,
그리 오래 머물지 않은
기억의 끝자락 잔상이었고
생각보다 잘 견뎌왔거든요.

우린 달랐던 거였지

다름을 인정하지 않았어요
텅 빈 마음을 채우고 싶었고
혼자가 아닌 함께 하고 싶었고
같은 것을 나누고 싶었고
나의 욕심이 아니란걸
부정하고 싶었나 봐요

우리는 틀린 것이 아니라
그저 달랐던 것 뿐인데
부정했던 나의 욕심이
지치게 만들었던 건 아닌지
믿고 싶지 않았나 봐요

나와 당신은 틀린 것은 아니었고
그냥, 다른 것이었는데
인정하지 않은 나의 어리석음이
지금의 우리를 말해주네요.

홀로 떠난 빈자리

그대 어찌 분리수거 하나 못했나요
그대 남기고 간 작은 쓰레기
재활용조차 하지 못한 채 묶여있네요

머릿속에 버리고 간 그대의 진심 담긴 말
가슴속에 버리고 간 그대의 진실의 방
눈 속 가득 버리고 간 그대와 걷던 추억

그대 어찌 분리수거 하나 못한 채
그대 흔적 남기고 가버렸나요
버리지도 못하고 가지고 있는
나는, 그대 남긴 작은 쓰레기 안고 살까요

구분하지 못한, 구분할 수 없는
그대 남긴 작은 쓰레기
도로 가져가든, 재활용할 방법 내게 전해줘요

그대, 내게 남긴 작은 쓰레기.

겨울,
아프니까
사랑이었다

이별하고 사랑했다

미치도록 보고 싶은 밤
찰나의 순간 바라봤던 눈빛은
호감이 되어 좋은 감정이 되었고
연인이란 관계 속 사랑이란 단어에
우리 두 사람을 담아본다

진실한 사랑, 평생의 동반자
1년의 콩깍지의 맞춰 찾아온
절묘한 순간은 하나씩 벗겨져
떨어지는 감정속 권태기란 단어에
우리 두 사람을 갈라놓았다

아픈 줄 몰랐고, 후회할 줄 몰랐다
너와 거닐던 공원도, 서로가 닮았던 취향도
들려오는 여행 소식은 추억이 된 우리 사진을
매일 밤 그날을 떠올리며 가슴 아파온다

다시 사랑한다면 달라질 수 있을까?
후회와 아픔으로 물든 감정을
우린 다시 사랑한다면 보듬어 줄 수 있을까?

진심으로 사랑한 줄 알았고,

사랑을 알아챘다 여겨왔는데

사랑이 아니라 그저 좋은 감정의 일부분이었다

나는 이별하고 사랑했다.

내 목소리가 들리니

창문 틈 사이로 들려옵니다
배고픔에 지친 신호인지
어미를 찾아 보내는 울음인지
애타게 목놓아 외치는
그 녀석의 목소리는 밤잠을 설칩니다

유난히 빛나는 달을 그 녀석도 보았을까요
차디찬 밤공기 맞이하며 울부짖는
그 녀석의 목소리는 전해졌을까요

손바닥 하나의 가려진 야윈 그 녀석
그 녀석의 목소리가 들리지 않는 걸 보니
목소리가 전해진 걸까요

배고픔은 채웠는지,
어미는 만났는지,
어디서 애타게 울고 있는 건 아닌지

오늘은 보이지 않는 달을 보며
혼자 외쳐 보네요
들리니?

다시 사랑한다면

이대로 영원히
지금 이 순간, 이 시간을
행복함에 담아두어도 될까요
멈추지 않는, 멈추지 않을
지금의 나는 행복해도 될까요

꿈을 꾸고 있는 걸까요
잠들지 않는 상상 속에
지금, 이 순간, 이 시간을
깨어나지 않는 꿈을 꾸어도 될까요
멈추지 않는, 멈추지 않을
지금의 순간을 나는 꿈을 꾸어도 될까요

매일 그대와 나누는 행복한 순간
매일 그대와 꾸는 우리의 미래
나는 행복한가요.

나의 일기장

시시콜콜한 이야기도
그날의 생각, 감정도
의미 없이 써 내려가던
나만의 기록지

한 장, 한 장 넘기며
그때의 감정을, 그때의 추억을
펜 속에 실어 적어두었던
나만의 일기장

잊혀 가는 기억을
한데 모아 두둑해진
나만의 이야기

말하는 대로, 생각한 대로
이루어질 수 있는
나만의 드라마

펜 하나로 어디든
자유롭게 남겨간

나만의 멜로디

시간이 지나 그때의 오늘이 와도
내가 만든 공간 속에 고이 적혀
영원히 기억되겠지.

헤어지고 깨달은 것들

아픔이 없는 사람이 어디 있어요
누구나 하나쯤 아픔 안고 살지요
상처는 아물어 새살 돋지만
아픔은 사라지지 않은 채
기억 속 저 너머 자리하지요

그, 아픔을 잊기 위해
서성이는 그대들에게 전해요

아픔을 짊어지고 혼자 걷지 마요
아픔도 나누면 나눌수록
조금은 덜 아플 때도 있으니까요.

오늘이 끝이라면

우렁차게 나를 알린 울음소리
세상 눈부신 선물 같은 존재로
부디 건강하게만 자라길

매 순간이 새로움이었고
매 순간이 처음이었듯이
처음 살아가는 인생

돋아나고 뿌리 내리고
새로이 피고 지는 세월 속에
뭐 그리 열심히 살았을까

잠시 머물다 가는 삶
너그럽게 웃어도 보고
맑은 공기 마시며 하늘도 보며
사진 한 장 남겨놓을걸

끝자락에 도착하니 보여지는 주마등 속 인생
비록 잠시 머물다 가는 인생도
마주하니 행복이었고 후회였고
큰 아픔이었다.

그때 그 아이

모두가 잠든 고요한 새벽
환하게 켜진 조명 아래
우렁찬 울음소리 가득 울리네

어찌나 통통했는지
곱게 엮은 소시지 한 줄
두툼하게 엮은 소시지 한 줄

장군이라 칭한 그때 그 아인
장난기 가득 머금은 미소
신출귀몰 가득 담은 호기심

마냥 밝고 천진난만했던
그때 그 아이
어찌 그리 세상에 물들었을까

세상을 짊어진 마냥 깊게 박힌 흰머리
축 늘어진 눈 밑 검은 그림자
밝고 천방지축이었던 그때 그 아인

피할 수 없는 이치 속에
내던져진 채 물들어 가는구나
우렁찬 목소리는 모깃소리처럼
점점 사그라들고

밝디밝은 미소는
힘 가득 실은 억지 미소로
주름만이 늘어가는구나

그때, 그 아이.

그런 사람을 만나

실금 같은 선은 긋고 또 긋다 보니
굵은 선이 되어 나를 더 밀어내는구나

지우고 그으며 반복했던 선은
점선이 되어 흐릿해지고
나는 또다시 선을 그어본다

오지 말라며 밀어내는 기준선
방해꾼 용납 못한 나의 마음
흔들대는 흔들의자 앉아
지워지지 않는 선을 그어본다

그어진 선은 상처를 감추고
그어진 선은 마음을 숨기고
그어진 선은 나를 잃어간다

선을 지어줄 그 사람.

평생의 숙제

잘 되길 빌고 또 빌었습니다
어렸을 적 잔상이 심어준 혹독한 기억이
시간이 지나 선명하다 못해 뚜렷해져
옥쇄가 되고 채찍질하며
힘든 발걸음을 재촉했지요

무슨 일이 일어나든 무슨 일이 벌어지든
저에게는 중요하지 않아요
그저 지금보다 나은 시간
지금보다 더 높은 삶이 되기를
빌고 또 빌었습니다

엇갈린 길과 출구 없는 미로에 갇혀
헤어 나오기 바쁜 시간으로 가득했지요
소중한 사람들을 잃어가는 기분
지켜내지 못한 죄책감은 말로 표현할 수 없는
큰 아픔입니다

내일은 다를까요 내일의 오늘은 다를까요
바뀌지 않는 불확실함은 짊어져야 할
평생의 숙제로 남겨져 가네요.

나처럼 살아보려고

가다 멈추고
길을 잃어 방황도 하고
주저앉아 내려놓고 싶어도
한번 걸어보려고요

모든 것이 처음인 인생
한번 사는 인생 가치 있는 인생에
내디뎌 보려고요

그것이 맞든, 틀리든
내가 걷는 길이고
그것이 나다운 것이고
나처럼 살아보려고요.

감정 기복

어떤 색을 담아볼까
흰 구름 울적함 담아
칠한 구름은 먹구름 가득하고

파란 하늘 너무 밝아 질투 담아
칠한 하늘 태양만이 빼꼼하고
별빛 가득 마음 담아
칠한 별밤은 위로하듯 반짝이네

매일 그린 오늘은 내일이 되어
새로운 색을 기다리겠지.

색안경

아침의 눈을 뜨니
파란 안경 쓰여있고
부리나케 출근하니
노란 안경 쓰여있네

일을 하다 마주하니
까만안경 쓰여있고
퇴근하고 걸을 때면
하얀 안경 쓰여있네

매일, 달라지는 색안경은
나의 오만과 편견 가득하네.

돌아보면 진심이었다

왜 겨울은 그리 차갑고 시리더냐

왜 봄은 늘 따스하고 포근하더냐

왜 여름은 늘 뜨겁고 찝찝하더냐

왜 가을은 늘 고독하고 외롭더냐

변해가는 계절, 뭐 그리 아쉽더냐

세월 가고 익어가는 인생

눈 속 가득 담을 수 있는 것이

흔적이고 행복 아니겠더냐

스쳐 가는 계절 이여, 세월 이여

내 그대 가는 그 길 웃으며 보내리다.

때론 친구이자 동반자였지

눈빛만 봐도 알아채던 마음의 소리
입속에 담긴 뱉고 싶던 울림의 소리
하단전 가득 끓어오는 분노의 소리
몸짓에 배인 사소하던 그놈의 표현

우린, 말하지 않아도 모든 것을 알던
오랜 친구이자, 동반자였거늘.

그대 소식

그대 떠난 길 걱정 한가득
그대 걷는 길은 꽃길이길
그대 앞에 마주한 바람 살랑바람
그대 멈춘 그늘 깊고 긴 소나무
그대 내린 눈 마지막 눈이길

찬란한 그대, 떠난 길 걱정 한가득
도착하거든 그대 밟은 길 내게 들려주길
그대 걱정 한가득 품은 나
오매불망 그대 기다리니
그대 모습 어서 내게 보여주길.

봄, 여름, 가을, 겨울

못다 핀 한 송이

못다 한 한마디

못 잡은 한마음

못 이룬 한평생

다음, 계절은 꼭 이루리.

나를 사랑하는 법

내게 가장 큰 선물이 왔다
계절이 변해가는 모습을 눈으로 담아내는 것,
눈을 뜨고 눈을 감으며 아침과 밤을 맞이하는 것,
좋아하는 노래 좋아하는 음식 좋아하는 일을 할 수 있는 것,
지금, 이 순간 오늘을 글로 담아낼 수 있는 것

내게 온 선물.

부정하고 싶은 진실

사람 사는 게 다 똑같지
“아니?”
사는 세상이 똑같지
“응?”
사람의 열정은 다르지
“그치.”

매일 달고 살던 한숨 속
하지 못한 이야기는
부정했던 진실이었지.

그리운 사람

방학 때면 볼 수 있는 외할머니가
시간이 지날수록 그립습니다
허름하지만 인상 깊던 삐딱한 못 자국
오래됐지만 시원했던 나무 냄새

잔잔하게 흐르는 시냇물 사이
아이처럼 신나 했던 진돗개 한 마리
손 꼭 잡고 거닐던 논밭 거리는
점점 흐려지는 그때의 기억입니다

같이 머물던 그곳은 시간이 지나
꽉 막히고 눈앞 가득 머물던 먼지
햇빛 들지 않는 상처뿐인 터전
지우고 싶던 그날의 기억입니다

돌아갈 수 있다면 다시 한번 해보고 싶던
주름진 손으로 잡아준 너무나 따뜻했던 손
한 번만 다시 따뜻했던 마음 품고
뚜렷했던 유일한 기억이 되고 싶습니다.

선택의 끝은 책임이 있고

선택의 기로는 늘 마음이 불안정할 때 찾아오지요
뚜렷한 다짐도 선택의 기로가 오면 흔들리는 다짐을
붙잡지 못해 불안정하지요

인생은 늘 선택의 연속이네요
살다 보면 쭉 선택 앞에 서 있는 나를 보고
선택이 있어 후회는 늘 따라붙는 그림자가 되지요

후회 없는 선택은 없다며 입에 풀칠했고
나의 선택은 다르다며 동네방네 소리를 내지만
후회는 늘 따라붙는 그림자가 되었지요

돌아보면 후회가 아닌 책임이 따라붙는 그림자였다고
머리를 두드려준 그림자였고 함께 하는 동반자였지요.

힘을 얻고 싶은 날

굽어지는 등을 볼 때면 당신의 오늘이
얼마나 고된 하루였는지 알 거 같습니다
많은 시선과 싸우느라 위축된 당신의 등이
많은 감정과 부딪혀 지친 당신의 마음이
오늘의 당신을 말해줍니다

똑같은 하루하루가 반복될까 두려워 잠 못 이루던
긴 밤들을 잔 속에 채워진 소주 한 잔에 털어내듯이
오늘 당신의 모습 또한 잔을 기울이며 털어내 봅니다
오늘도 고생 많으셨습니다.

다를 거 없는 같은 삶

인생이 어찌 그리 만만하더냐
피고 지고 반복하며 들여온
정성이 아름답게 꽃피는데
어찌 그리 만만할까
젊은 날의 아침이여

세월이 어찌 그리 야속하더냐
방황하며 남겨가는 발자국이
바른길로 인도하는데
어찌 그리 야속하더냐
늙은 날의 아침이여

그저 같이 흘러가는 바람이요
그저 같이 익어가는 계절이요
다를 거 없는 같은 삶인 것을.

보지 못했던 아름다움

나는 꿈을 꿉니다
간지러운 바람 두 뺨에 스치고
온 세상이 조명 가득 뒤덮인 햇살
그림 같은 흰 구름과 파란 하늘
곱디고운 모래 위에 앉아
사색에 빠진 채 꿈을 꿉니다

아무 의미도 아무 이유도 없는
그저 지금의 순간을 두 눈 속에
담아내고 싶은 마음뿐이지요

오늘의 나도, 내일의 나도
달라질 거 없는 지극히 평범한
한사람이 되고 싶은 마음뿐이지요

뭐 그리 바빴던 건지
뭐 그리 치열했던 건지
뭐가 그리 힘들었던 건지
이리 아름다운 것을 놓쳤을까요

단, 하루 꿈속에 갇혀

행복한 나를 바라봅니다.

우리가 사랑한 계절엔

초판 1쇄 발행 2022년 7월 27일
초판 1쇄 인쇄 2022년 7월 27일

지은이 이진수

펴낸이 이장우
편집 송세아 안소라
디자인 theambitious factory
마케팅 시절인연
제작 김소은
관리 김한다 전현주
인쇄 아레스트

펴낸곳 도서출판 꿈공장플러스
출판등록 제 406-2017-000160호
주소 서울시 성북구 보국문로 16가길 43-20 꿈공장 1층

이메일 ceo@dreambooks.kr
홈페이지 www.dreambooks.kr
인스타그램 @dreambooks.ceo

전화번호 02-6012-2734
팩스 031-624-4527

꿈공장플러스 출판사는 모든 작가님의 꿈을 응원합니다.
꿈공장플러스 출판사는 꿈을 포기하지 않는 당신 곁에 늘 함께하겠습니다.

ISBN 979-11-92134-19-2
정가 12,000원